JPIC Chi Ende
Ende, Michael
Chu zou de rong bu xiong /

34028072468086
FM ocn226304232
10/01/09

3 4028 07246 8086
HARRIS COUNTY PUBLIC LIBRARY

S0-ACS-075

DISCARDS

米切尔·恩德　（1929－1995）德国当代最优秀的幻想文学作家，德语国家的文学评论界称赞他“在冷冰冰的、没有灵魂的世界里，为孩子也为成人找回失去的幻想与梦境”。他的一些著作，如《毛毛》和《永远讲不完的故事》等已经成为世界名著并为中国读者所熟知。他是一位多产的全方位的作家，作品被译成近40种文字，总印数超过3000万册，在世界范围产生了广泛的影响。

贝伦哈特·奥伯迪克　生于1949年，大学期间专攻工艺美术创作，曾为艺术教师，从事图画书创作多年，迄今已有八十多部图画书问世。其作品不仅在德语国家和地区受到读者的喜爱，在欧洲和世界其他地区也获得一致的好评。

©1993 by K.Thienemann Verlag, Stuttgart-Wien-Bern

图书在版编目（CIP）数据

出走的绒布熊／（德）恩德文；（德）奥伯迪克图；何珊译.
—南昌：二十一世纪出版社，2008.1
（恩德作品绘本）
ISBN 978-7-5391-4045-2
Ⅰ.出… Ⅱ.①恩…②奥…③何… Ⅲ.图画故事－德国－现代 Ⅳ.Ⅰ516.85
中国版本图书馆CIP数据核字（2007）第195013号
版权合同登记号：14-1999-116

出走的绒布熊

贝伦哈特·奥伯迪克／图　米切尔·恩德／文　何珊／译
责任编辑　熊　炽　屈报春　周士达　徐　泓
出版发行　二十一世纪出版社　www.21cccc.com
出 版 人　张秋林　　**经　销**　新华书店
印　刷　深圳中华商务联合印刷有限公司
版　次　2008年1月第1版　2008年1月第1次印刷
书　号　ISBN 978-7-5391-4045-2
定　价　21.00元

本社地址：南昌市子安路75号　330009（如发现印装质量问题，请寄本社图书发行公司调换　0791-6524997）

恩 德 作 品 绘 本

出走的绒布熊

贝伦哈特·奥伯迪克／图

米切尔·恩德／文　　何　珊／译

二十一世纪出版社
21st Century Publishing House

从前，有一只可爱的旧绒布熊，他的名字叫小顽童。当他还是崭新的时候，耳朵上挂着一块小牌子，上面写着“小顽童”这三个字。于是，绒布熊的小主人就这么叫他。不过，这是很久以前的事了。现在，这个孩子已经长大上学去了，不再和绒布熊一块儿玩了。当然，时光的流逝，在小顽童的身上也留下了许多痕迹。他身上有的地方打上了补丁，由于经常梳洗，绒毛也已经磨坏了。

现在，大部分时间他都坐在沙发角上，那是专门给他安排的地方。他常常坐在那里发呆。可是，白天黑夜都在一个地方呆着不动，的确没有意思。所以，有时他也会悄悄地跳一会儿舞。不过，只有旁边没人时，他才会跳，否则他会觉得不好意思的，因为他确实不太灵活——和其他绒布熊一样。

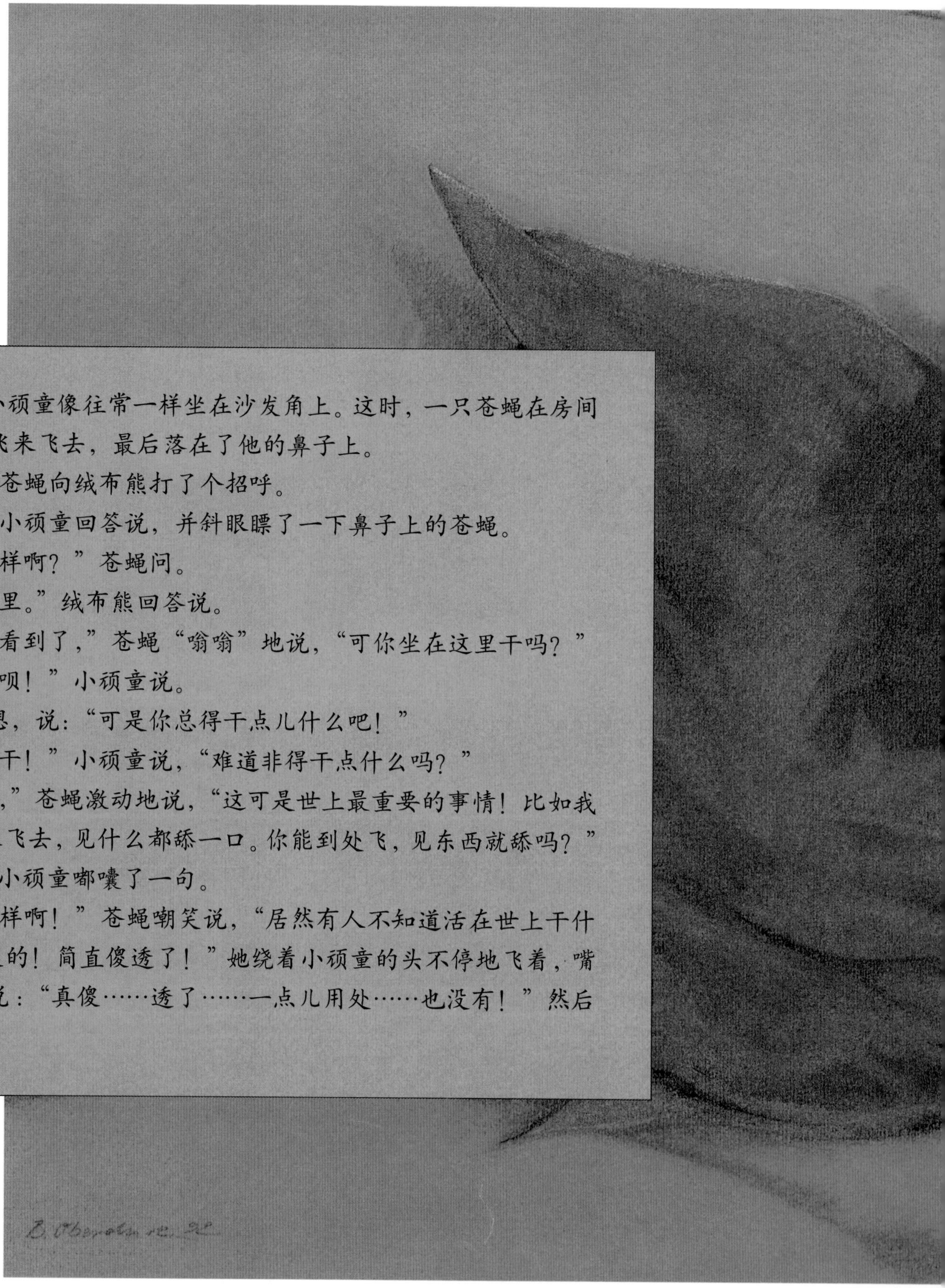

有一天，小顽童像往常一样坐在沙发角上。这时，一只苍蝇在房间里“嗡嗡”地飞来飞去，最后落在了他的鼻子上。

“你好！”苍蝇向绒布熊打了个招呼。

“你好！”小顽童回答说，并斜眼瞟了一下鼻子上的苍蝇。

“过得怎么样啊？”苍蝇问。

“我坐在这里。”绒布熊回答说。

“这我已经看到了，”苍蝇“嗡嗡”地说，“可你坐在这里干吗？”

“就是坐着呗！”小顽童说。

苍蝇想了想，说：“可是你总得干点儿什么吧！”

“什么也不干！”小顽童说，“难道非得干点什么吗？”

“瞧你问的，”苍蝇激动地说，“这可是世上最重要的事情！比如我吧，我成天飞来飞去，见什么都舔一口。你能到处飞，见东西就舔吗？”

“不能！”小顽童嘟囔了一句。

“原来是这样啊！”苍蝇嘲笑说，“居然有人不知道活在世上干什么。你可真够傻的！简直傻透了！”她绕着小顽童的头不停地飞着，嘴里一个劲儿地说：“真傻……透了……一点儿用处……也没有！”然后便飞走了。

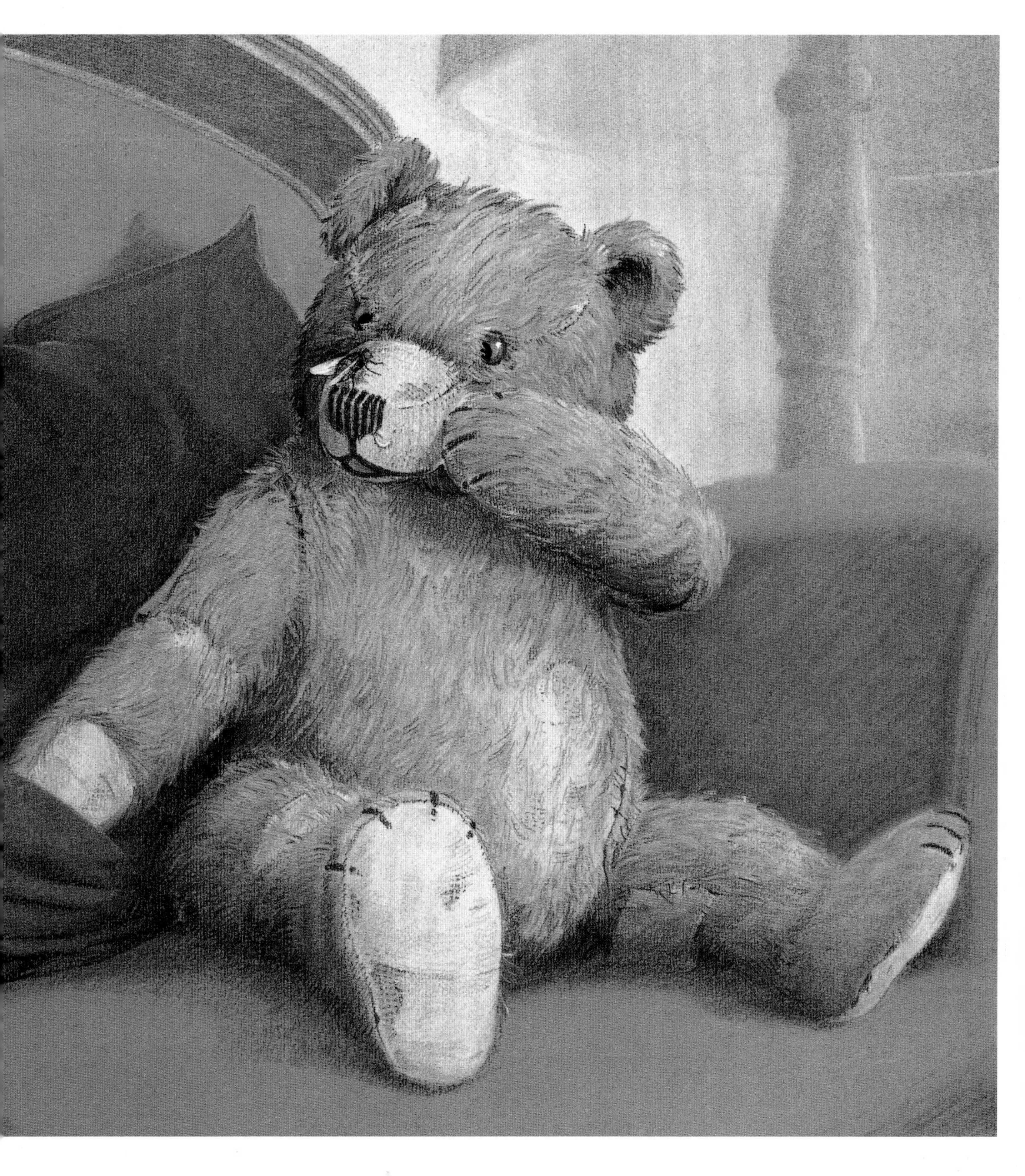

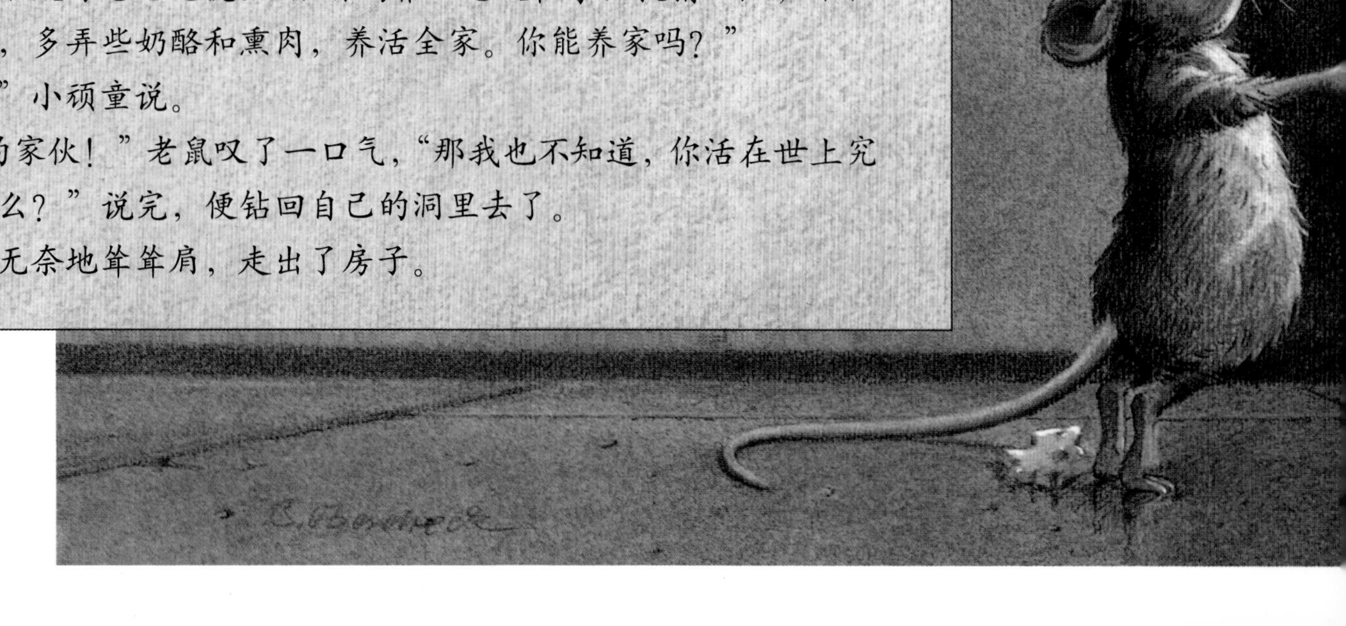

苍蝇的这番话引起了绒布熊的思考。

“是啊，”他对自己说，“也许我真的太傻了。如果所有人都知道自己活在世上是为了什么，那我现在也想知道。我应该去打听打听，也许可以找到一个人，他能告诉我正确的答案。”

于是，他从沙发上滑下来，摇摇晃晃地动身了。

当他路过地下室的楼梯时，碰见了一只老鼠。

“你好！”绒布熊客客气气地打了个招呼，“我叫小顽童，我很想知道，我到这世上到底干什么来着。”

老鼠靠着后门，站起身来，从上到下打量着小顽童。

然后，不太好意思地说：“活着的惟一意义在于：狡猾一点，不让自己被逮住，多弄些奶酪和熏肉，养活全家。你能养家吗？”

“不能。”小顽童说。

“可怜的家伙！”老鼠叹了一口气，“那我也不知道，你活在世上究竟是为了什么？”说完，便钻回自己的洞里去了。

小顽童无奈地耸耸肩，走出了房子。

门前有一个开满鲜花的小花园。绒布熊坐在草丛中，看见一只蜜蜂不停地在花丛间飞。

“喂，请听我说……”小顽童喊道，“我有一个问题想问问你……”

“我忙着呢，没有时间！”蜜蜂“嗡嗡”地叫着，很快又飞到另一朵花上。

“也许你知道，活着到底是为了什么？”小顽童问。

“当然啦！”蜜蜂说，“打小就知道，活着的目的就是努力工作——不停地干活，永不偷懒。难道这点你都不明白吗？”

“努力？”小顽童问，“怎么才算努力呢？”

“辛勤采蜜，筑造蜂房，造福国家——难道你做不到吗？”

“不能！”小顽童回答说。

一听这话，蜜蜂火了：“我可没时间跟你这种废物瞎扯！赶紧走开，让我干活！要不我会蛰你的！”

绒布熊可不想冒这个险，连忙跑开了。

当他来到街上的时候，遇到了一只很脏的小鸟，他正在一个脏水坑里洗澡呢。

“哎，我说，”小鸟叫道，“你在那里傻看什么？你没见过洗澡哇？”

“见过，”小顽童回答说，“我也常常洗澡。但是，我可从来没有像你那样溅得到处都是水。”

“这关你什么事？”小鸟说，“你到底想干什么？”

“我想知道，我到底活在世上干什么。”

“你该干什么，这关我屁事。不过，哥儿们，我给你个好主意。跟我学吧，别去管这些愚蠢的问题。你应该对什么都不满意，对什么都不在乎，那你就什么也不怕了。只有这点才是重要的。”

小顽童想了想，然后摇了摇头，叹了口气说：“可我一定要知道，一个旧绒布熊到底有些什么用处。”

小鸟大声嘲笑了一番，飞走了。

小硕童又陷入了深深的思考，脚步沉重地沿街向前走去。他来到了一个公园。公园中间有一个蓝色的湖。波光粼粼的湖面上，一只美丽的白天鹅正在快乐地游着。

“你可真美！”小硕童赞美道。

“我知道。”天鹅说着展开翅膀，像一面鼓起的风帆。

“那你活着的目的是什么？”小硕童很想知道。

“多么愚蠢的问题！”天鹅严肃地回答说，“生活最根本的意义在于美。仅仅在于美。否则还有什么？”他美滋滋地打量着水中自己的影子。“我生活的目的，就是履行这一最崇高的使命。你呢？”

小硕童也看了看自己水中的模样，然后很真诚地说：“不知道。”

“那么说，你可真是多余的。”天鹅说着，脸上露出高傲的微笑。他又向湖中游去，看都不愿再看一眼这只破旧的绒布熊。

湖的对面是一片森林，小顽童朝那边走去。不一会儿，他遇见了一只布谷鸟，鸟儿坐在树枝上，不断地发出同一种声音。

“你在干什么呢？”小顽童问。

“我在数数，别打断我！”布谷鸟回答说，“65、66、67……”

“你在数什么？”

“我什么都数：树、树叶、冷杉球果，数天数，数钟点……什么都数。别打断我，68、69、70……”

“这有什么意义吗？”小顽童问。

“那还用问！”布谷鸟回答说，“什么都取决于数。能够数的东西，才是真实的。不能数的东西，都不能算数。”

“那么，”小顽童满怀希望地问，“也许你能把我也算上？”

“好的，”布谷鸟说，“那你看看自己应该归到哪一类吧。”

“我没法归进某一类，”小顽童承认道，“我只是我自己。”

“那就没法算上你了，”布谷鸟说，“别再打断我。”说完，布谷鸟飞走了。从远处还不断传来他的数数声。不知又在数什么呢。

旧绒布熊朝森林深处走去，树林越来越密，越来越黑。树藤挂在树枝上，挡住了路。这是真正的热带丛林。

在他头顶上，一群猴子在高高的树枝间尖叫着爬来爬去。当猴子们看见绒布熊时，突然安静下来。猴头从树上跳下来，站在小顽童面前。

“你来这里找什么？”他龇牙咧嘴地问。

“我不想打扰你们，”小顽童很有礼貌地说，“我只是想问问，我们这样活着的目的是什么？”

猴子们七嘴八舌地说开了：“他想知道，像我们这样的活着的目的是什么，他居然问，像我们这样的活着干吗……”

“住嘴！”猴头大吼一声，龇着牙齿。

当大家重新安静下来后，他说：“活着的惟一目的是去组织和建立一些团体，如协会、俱乐部、委员会、党派——任何一个团体都成。反正我们一直是这样做的。”

“为什么？”，小顽童问。

“这很重要，”猴头说，“一个人发号施令，其他人都服从。否则一切都会乱套。每个人都应该拥有自己的准确位置，这样他才知道自己的价值。你能领导别人吗？或者你听从别人的指挥？”

“都不行。”小顽童说。

“那你不能加入我们的行列！”猴头大叫。

其他猴子纷纷用能抓到手的所有东西朝小顽童扔过来。吓得他急忙跑开了。

在原始森林的后面，是一片广阔的草原。一群大象正在进行非常严肃认真的谈话。他们都长着张充满智慧的脸，一举一动都很庄重威严。

“对不起！”小顽童有些胆怯地问，“你们能告诉我，一个人活在世上究竟是为了什么吗？”

大象听了，连忙将他团团围住，皱着眉头低头打量着他。

“这是一个非常深刻的问题，我们已经想了很长时间。”一头大象说。

“那结果呢？”小顽童充满期待地问，“你们找到答案了吗？”

“对于深刻的问题必须进行全面彻底的思考，”另一头大象说，“我们不能草率从事。所以，活着的意义恰恰在于认真思考生活的意义。”

“但是，”小顽童忍不住插话道，“那可是没完没了的，我不知道自己能不能等得到。”

“就算这样吧，”第三头大象开口了，“可你毕竟有一颗永远不死的灵魂——像所有生物一样，不是吗？或者你能告诉我，你的身体内有些什么？”

“我还从来没有仔细查看过，”小顽童承认，“但是，我想，可能是些木屑和泡沫塑料之类。”

“那么说，你根本就不是真正的生物，”第一头大象严厉地说，“你只不过是一个人造的东西，没有灵魂，没有思想。如果你什么都不是，那就应该把你扔掉。”

听到这，可怜的旧绒布熊第一次真正感到了难过——虽然他是用木屑和泡沫塑料做的。即使他没有特别的要求和权利，那他也不愿被人扔掉。他摇摇晃晃地走了，再也没有什么兴趣找任何人询问活着的目的了。草原上沙子和石头越来越多。小硕童已经很累了，他靠着一块岩石坐了下来，让太阳照在他那打了补丁的肚子上。

突然，只听身边传来尖声尖气的说话声：“嘿，小胖子，真是太巧了！”他转过身来，看见一条巨大的响尾蛇，她正用发亮的眼睛盯着自己，玩具熊想赶紧跑开，但他已经不能动弹了。

“站着别动，小东西！”大蛇吐着舌头说，“不然我会生气的。”响尾蛇慢慢地把头扬到绒布熊面前。“怎么样？宝贝，”她面对面地冲小硕童说，“来得正好，你很合我的口味。”

“谢……谢谢！”小硕童吓得结结巴巴的，“但是，对不起，我该走了。”

“我必须搞清楚，自己活着是为了什么？”

大蛇阴阳怪气地笑了笑：“可这不是什么问题。像你这样的，活着的目的就是让我吃掉。我很想吃你，小胖子。你是可以吃的，不是吗？”

“我希望不是，”小硕童答道，“我身体里面只有木屑和泡沫塑料。”

“是吗？”大蛇很失望，“那你真是什么用处也没有。我只好去找别的东西吃了。”她招呼也没打，就很快爬走了。

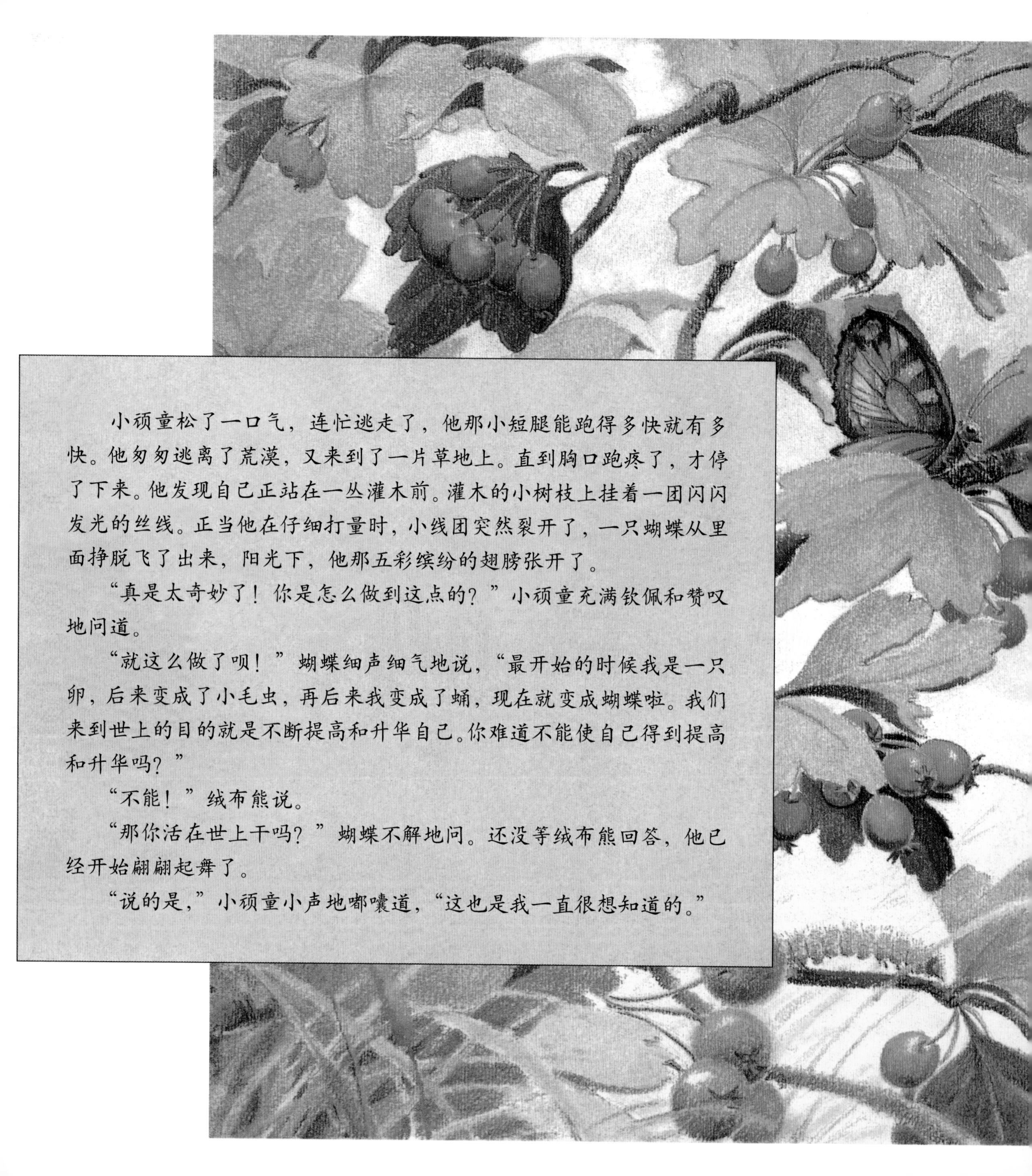

小顽童松了一口气，连忙逃走了，他那小短腿能跑得多快就有多快。他匆匆逃离了荒漠，又来到了一片草地上。直到胸口跑疼了，才停了下来。他发现自己正站在一丛灌木前。灌木的小树枝上挂着一团闪闪发光的丝线。正当他在仔细打量时，小线团突然裂开了，一只蝴蝶从里面挣脱飞了出来，阳光下，他那五彩缤纷的翅膀张开了。

“真是太奇妙了！你是怎么做到这点的？”小顽童充满钦佩和赞叹地问道。

“就这么做了呗！”蝴蝶细声细气地说，“最开始的时候我是一只卵，后来变成了小毛虫，再后来我变成了蛹，现在就变成蝴蝶啦。我们来到世上的目的就是不断提高和升华自己。你难道不能使自己得到提高和升华吗？”

“不能！”绒布熊说。

“那你活在世上干吗？”蝴蝶不解地问。还没等绒布熊回答，他已经开始翩翩起舞了。

“说的是，”小顽童小声地嘟囔道，“这也是我一直很想知道的。”

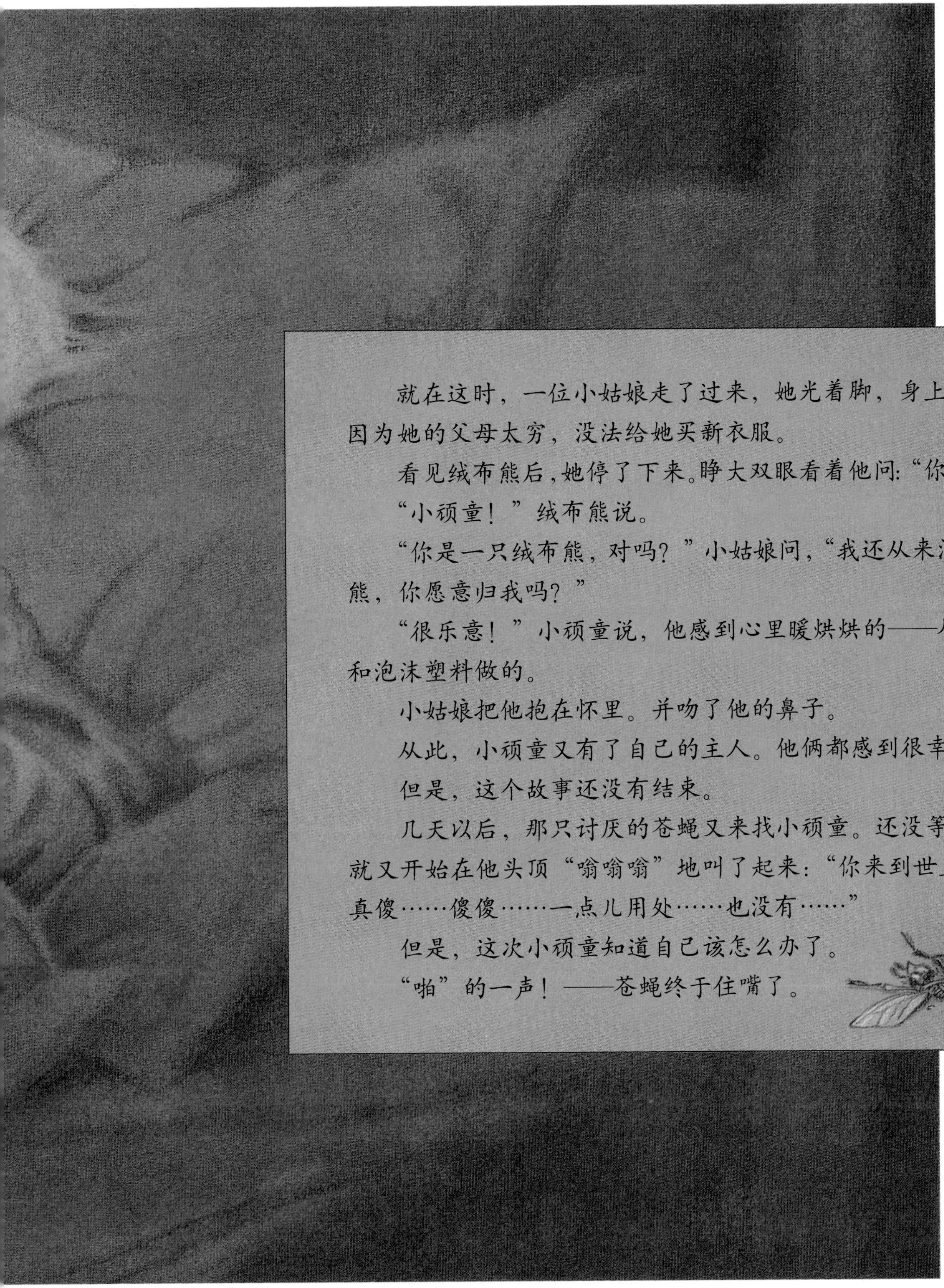

就在这时，一位小姑娘走了过来，她光着脚，身上的衣服很破旧，因为她的父母太穷，没法给她买新衣服。

看见绒布熊后，她停了下来。睁大双眼看着他问："你叫什么名字？"

"小顽童！"绒布熊说。

"你是一只绒布熊，对吗？"小姑娘问，"我还从来没有过一只绒布熊，你愿意归我吗？"

"很乐意！"小顽童说，他感到心里暖烘烘的——尽管他是用木屑和泡沫塑料做的。

小姑娘把他抱在怀里。并吻了他的鼻子。

从此，小顽童又有了自己的主人。他俩都感到很幸福。

但是，这个故事还没有结束。

几天以后，那只讨厌的苍蝇又来找小顽童。还没等她看见绒布熊，就又开始在他头顶"嗡嗡嗡"地叫了起来："你来到世上有什么用？你真傻……傻傻……一点儿用处……也没有……"

但是，这次小顽童知道自己该怎么办了。

"啪"的一声！——苍蝇终于住嘴了。

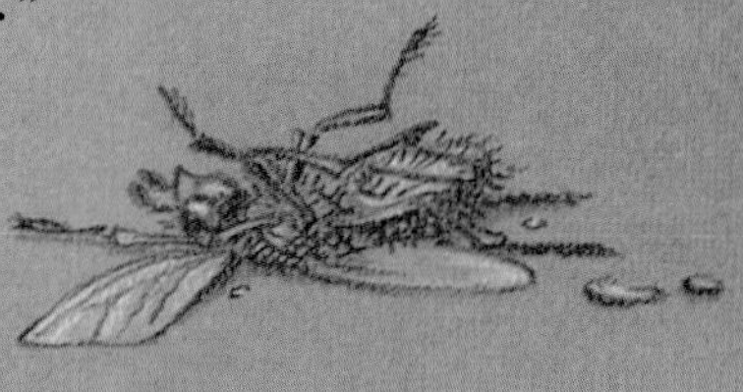

Harris County Public Library
Houston, Texas